Bali™

va à la mer

– À petit Léon, pour qu'il coure
après les mouettes ou les pigeons.
M.

– Aux marins et amis du Dibenn, du Mieulaco,
du Vertrouwen et du Guerven.
L. R.

Bali

Papa

Maman

© Flammarion 2003 pour le texte et l'illustration
© Flammarion 2008 pour la présente édition
www.editions.flammarion.com
ISBN : 978-2-0816-3297-4 — N° d'édition : L.01EJDNFP3297.C003
TM Bali est une marque déposée de Flammarion

Magdalena

Bali™

va à la mer

Laurent Richard

Père Castor ◼ Flammarion

– J'ai envie de dire bonjour
aux bateaux, dit Bali.

Mamili habille Bali comme Papili,
avec un ciré et des bottes.

– Te voilà beau
comme un matelot !
dit-elle.

Au bord de l'eau, Bali lâche la main de Papili
pour faire peur aux mouettes.

– Bouh ! Allez-vous-en !
crie Bali.

Sur le port, Bali regarde les bateaux.

– Oh ! Comme c'est beau !
Il y en a des petits et des gros.

Devant le marché aux poissons, Bali s'écrie :
– Sardine, tu es toute riquiqui.
Poisson, tu es trop long.
Pouh ! Mais ça ne sent pas bon !

– Tu veux manger des crevettes ?
demande Papili.
– Non, elles ont de belles moustaches.
– Alors des moules ?
– Non, elles font dodo
dans leur coquille !
– Et du crabe ?
– Non, il pince.

– Mais que veux-tu manger à midi ?
dit Papili qui s'impatiente un peu.
– Du poisson carré ! répond Bali.
– Bon, rentrons le pêcher
dans le congélateur de Mamili.

Papili et Bali retrouvent Mamili
pour le déjeuner.

– J'ai une faim de baleine !
dit Bali.
– Alors à table,
Capitaine Bali Baleine !
dit Mamili.

Imprimé en Espagne par Edelvives en février 2011 – Dépôt légal : mars 2008
Éditions Flammarion – 87, quai Panhard-et-Levassor – 75647 Paris Cedex 13
Loi n° 49-956 du 16 juillet 1949 sur les publications destinées à la jeunesse